FALSE FRIENDS
FAUX AMIS

BOOK TWO

malet@supanet.com
www.elmalet.co.uk

Matador
5 Weir Road
Kibworth Beauchamp
Leicester LE8 0LQ, UK
Tel: (+44) 116 279 2299
Fax: (+44) 116 279 2277
Email: books@troubador.co.uk
Web: www.troubador.co.uk/matador

ISBN 978 1848766 020

British Library Cataloguing in Publication Data.
A catalogue record for this book is available from the British Library.

Printed and bound in the UK by TJ International, Padstow, Cornwall

Typeset in 11pt Palatino by Troubador Publishing Ltd, Leicester, UK

Matador is an imprint of Troubador Publishing Ltd

A Marieline et Cécile, et John, et à
la mémoire de Patrick

CONTENTS

Improve Your French and Have Fun!

LIST OF ABBREVIATIONS

adj. : adjective
adv. : adverb
cf. : compare with (see)
f. : feminine
fam. : familier (familiar)
fpl : feminine plural
hist. : historical
hum. : humorous
inv. : invariable
m. : masculine
m/f : masculine or feminine
naut. : nautical
nf : noun feminine
nfpl : noun feminine plural
nm : noun masculine
nmpl : noun masculine plural
pp. : past participle
qch. : quelque chose
qn : quelqu'un
sb. : somebody
sb.'s : somebody's
svp : s'il vous plaît

SECTION 1

'Un bassin' is big enough for you
to swim in, being an ornamental
lake, a pool…

FALSE FRIENDS

FRENCH > ENGLISH	**ENGLISH > FRENCH**
un *abord* > an access, an approach, a manner	*aboard* > à bord
achever > to end, to finish (off)	*to achieve* > accomplir, réaliser
actuel(le)s > at this moment, now	*actual* > exact(es), réel(le)s
l' *adepte* (m/f) > the follower, the enthusiast	*adept* (adj.) > expert(es)
admettre > to let in	*to admit* > avouer, reconnaître
l' *affluence* (nf) > crowds, the throng	*affluence* > la richesse
un *affluent* > a tributary	*affluent* (adj.) > riche(s) (adj.)
une *angine* > tonsillitis cf. angine (Lists-Maladies)	*angina* > une angine de poitrine
un *ânon* > an ass's foal	*anon(ymous)* > anonyme

3

l' *armoire* (nf) >
the (tall) cupboard,
the wardrobe

an *armoury* >
un arsenal,
un dépôt d'armes

l' *assistance* (nf) >
the audience,
the gathering

assistance >
l'aide (nf)

les *assistants* >
those present

a (shop) *assistant* >
un commis

attirer >
to attract, to lure

to attire >
vêtir, parer

l' *axe* (nm) > the axis

an *axe* > une hache

balancer >
to swing,
to chuck out

to balance >
équilibrer, tenir en
équilibre

un *bassin* >
an ornamental lake,
a pond, a pool

the *basin* >
le bol, la cuvette,
le lavabo

binocles > eye-glasses

binoculars >
les jumelles (nfpl)

blindé(es) >
armour-plated,
reinforced

blinded > aveuglé(es)

butter > to earth up,
to bump off, to do in

to butter >
beurrer

un *cabaret* > a café,
a night-club

a *cabaret* > un spectacle
(de cabaret)

un	*car* > a coach	a *car* >	une automobile, une voiture
une	*casserole* > a pan	a *casserole* >	un ragoût en cocotte
	censé(es) > supposed (to be)	a *census* >	un recensement
le	*chagrin* > grief, sadness	*chagrin* > le dépit, la contrariété	
	clapper > to click one's tongue	*to clap* > applaudir, battre des mains	
	commander > to order (in café etc)	*to command* > ordonner, dominer	
	compulser > to consult	a *compulsion* > une contrainte	
la	*concussion* > misappropriation of public funds	*concussion* > la commotion cérébrale	
une	*coupe* > a dish, a bowl, a cut	a *cup* > une tasse	
	crier > to shout	*to cry* > pleurer	
la	*cuisson* > cooking	a *cushion* > un coussin	
	déguster > to enjoy, sample, taste	*to disgust* > dégoûter	

dérider >
to cheer (somebody) up

to deride > rire de,
tourner en ridicule

dire > to say

dire (adj.) >
affreux, -euse(s)

disgracieux, -ieuse(s) >
awkward, inelegant,
ungainly

disgraceful >
honteux, -euse(s),
scandaleux, -euse(s)

un *donjon* > a (castle) keep,
great tower

a *dungeon* >
un cachot (souterrain)

un *dresseur* > a (lion) tamer

a *dresser* >
un habilleur, -euse,
un buffet

l' *embarras* >
bother, trouble, problem

embarrassment >
la gêne

l' *emphase* > bombast,
pomposity

emphasis >
l'accentuation (nf)

entraîner > to drag along,
to drive, to pull

to train >
former, instruire,
préparer

en *entrant* > entering

an *entrant* >
un(e) participant(e)

entrevoir > to foresee,
to glimpse

an *interview* >
un entretien

à l'*envi* > ceaselessly, over
and over again

envy > l'envie (nf),
la jalousie

épars(es) (adj.) > scattered

sparse > clairsemé(es), rare(s)

fameux, -euse(s) > wonderful

famous > célèbre(s)

farter > to wax (!)

to fart > péter

un *fat* > a conceited, smug, complacent person

the *fat/fat* (adj.) > la graisse / gros(ses)

fin(es) (adj.) > expert, shrewd

fine > excellent(es), superbe(s)

une *finasserie* > a ruse, trickery

finery > les plus beaux atours, les plus beaux habits

le *flair* > sense of smell, intuition

a *flair* (for) > le style, un don (pour)

formidable(s) (adj.) > wonderful

formidable > redoutable, terrible

le *glas* > (to toll) the knell of

a *glass* > un verre (NB verre is masculine)

une *grille* > railings, a (metal) gate

a *grill* > une grillade, une rôtisserie

grippé(es) (adj.) > down with 'flu

gripped > serré(es) (adj.)

	grivois(es) > saucy		*grievous* > grave(s), sérieux, -euse(s)
un	*groin* > a snout (yes, really!)		the *groin* > l'aine (nf)
un	*groom* > a bellboy cf. servant (section 6)		a *groom* > un palefrenier, un valet d'écurie
	hardi(es) (adj.) > bold, daring		*hardy* > intrépide(s), robuste(s)
	heurter > to strike, to hit, to jostle		*to hurt* > blesser
une	*imposte* > a fanlight		an *imposter* > un(e) intrus(e)
	impropre(s) > unsuitable, unfit		*improper* > déplacé(es), malséant(es)
à	l'*improviste* > without warning		*improvised* > improvisé(es)
	item (adv.) > ditto		an *item* > un article, un point
le	*jars* > the gander		the *jar* > le bocal, le pot, la jarre
	joli(es) > pretty		*jolly* > jovial(es), -aux
une	*journée* > a day		a *journey* > un voyage

un *judas* >
a spy-hole (in door)

a *judas* > un traître

le *labour* > ploughing

to labour > travailler

un *lambin* > a dawdler,
a slowcoach

a *lamb* > un agneau

la *lecture* > reading

a *lecture* >
une conférence, un cours

labourer >
to plough,
to dig (over)

a *labourer* >
un ouvrier,
un travailleur

le *licenciement* >
laying off,
redundancy

the *licensing authority* >
le service délivrant les
permis

les *limbes* > limbo

limbs > les membres
(les bras et les jambes)

littoral(es), -aux
(adj.) > coastal

literal >
au sens propre du terme

la *location* > the lease,
renting

a *location* >
un emplacement

un *magasin* >
a shop, a store

a *magazine* >
une revue

un *manteau* > a coat

a *mantle* > une cape

la *miséricorde* > mercy | *misery* > la douleur, la tristesse

molester > to manhandle, to rough up | *to molest* > attaquer, harceler, importuner

un *octet* > a byte (computer) | an *octet* > un octuor

un *pan* > a piece, a patch, a section | a *pan* > une casserole

une *parcelle (de terre)* > a plot (of land) | a *parcel* > un colis

la *Parque* > Fate | the *park* > le jardin public, le parc

un *photographe* > a photographer | a *photograph* > une photographie

un *pingouin* > an auk | a *penguin* > un manchot

une *pitance* > (means of) sustenance | a *pittance* > une somme dérisoire, un salaire de misère

une *place* > a square | a *place* > un endroit

le *plafond* > the ceiling | a *platform* > une estrade, un quai (à la gare)

une *planque* >
a hideaway / cushy
number

a *plank* >
une planche

une *plume* > a pen

a *plume* >
une aigrette, un plumet

pointer >
to mark off

to point >
montrer du doigt

policé(es) (adj.) >
polished, refined

the *police* >
la police

une *prairie* >
a meadow, grassland

a *prairie* >
une plaine (herbeuse)

prétendre > to claim

to pretend > feindre,
simuler, faire semblant

une *prime* > a free gift, a
bonus, a premium

prime > de premier
ordre, principal(es), -aux

probant(es) (adj.) >
convincing

probing >
pénétrant(es), serré(es)

un *procès* > a trial

a *process* >
une procédure,
un processus

le *procureur* >
the public / state
prosecutor

a *procurer* >
un entremetteur,
un proxénète

la *psyché* > the swing mirror	*to psych* > deviner, prévoir
un *rapin* (hist.) > a painter, a dauber	a *rapist* > un violeur
un *récipient* > a container	a *recipient* > un(e) destinataire
réclamer > to ask for, to claim, to complain	to *reclaim* > récupérer
un *repaire* > a den, a lair, a hideout	a *repair* > un raccommodage, une réparation
reporter > to take back, to postpone	*to report* > signaler, rendre compte (de)
ressentir > to feel	*to resent* > être contrarié(es) par
les *rollers* > the skates	*rollers* (for hair) > les bigoudis (nmpl)
un *roquet* > a (bad-tempered little) dog	a *rocket* > une fusée
rude(s) (adj.) > rough, harsh, tough	*rude* > grossier(s), -ière(s)
sale(s) (adj.) > dirty	a *sale* > une vente
le *scrutin* > the ballot	*scrutiny* > un examen rigoureux

la *sentence* > the maxim, the verdict

the *sentence* > la phrase

un *stage* > a training course, a training period

a *stage* > une estrade, une scène (théâtre)

le *trépas* > death

to *trespass (on)* > empiéter (sur)

trépidant(es) (adj.) > exciting, lively

trepidation > l'agitation (nf), une (vive) inquiétude

le *trouble* > discord, turmoil, unease

trouble > un problème, des ennuis (nmpl)

s' *user* > to wear out

to *use* > utiliser

la *vaisselle* > the washing-up

a *vessel* > un navire, un récipient

le *vent* > the wind

the *vent* > le conduit, le tuyau cf. tuyau (section 3)

le *verger* > the orchard

a *verger* > un bedeau, un suisse

un *volatile* > a winged or feathered creature

volatile(s) > instable(s), inconstant(es) (chemistry), versatile(s)

SECTION 2

A parrot in France is called Jacquot, not Polly…

FRENCH EXPRESSIONS

	affecter de faire quelque chose	to pretend to do something
une	angoisse indicible	an indescribable, unspeakable anguish
un	arc-boutant	a flying buttress
une	affaire de confection	a tailor's business
l'	affaire est enclenchée	things are underway
l'	attaché(e) de presse	the press officer
un	appareil-photo jetable	a disposable camera
l'	arcade sourcilière	the arch of the eyebrows
une	araignée au plafond	bats in the belfry
une	attaque en règle	an all-out attack
	attendre jusqu'à la saint-glinglin (!)	to hang around waiting for ever
	autres temps, autres mœurs	other times, other customs

	avez-vous porter plainte ?	did you complain / press charges?
un	avis de tempête	a storm warning
	balayé(es) (d'un revers de main)	swept aside (by the back of a hand)
le	banc des témoins	the witness box
	belle lurette, il y a…	it's donkey's years ago
une	bête de somme	a beast of burden
un	barrage de police	a road block, a police cordon
	bas de casse (nf)	lower case (letter) (a printing term)
	bayer aux corneilles	to stand gaping, gawping
	bien-découplé(es)	well-built
un	blanc-seing à quelqu'un, donner…	to give somebody a blank cheque
la	boîte pour piles (!)	the battery compartment
un	boîtier de sécurité	a dongle (for computer)
de	bonne guerre, c'est…	that's fair enough

un	bourlingueur en chambre	an armchair traveller
le	bouquet, ça c'est…	that takes the biscuit
une	bouteille de derrière les fagots	a bottle of the best
par	brigue, obtenir quelque chose…	to obtain something by intrigue
	broyer du noir	to be in the doldrums
le	cagibi à bagages	the luggage storage room
une	camisole chimique cf. straitjacket (sect. 6)	suppressants (drugs), a chemical cosh
une	canne anglaise	a crutch
une	canne blanche	a white stick
un	canular, monter un…	to play a hoax on somebody
un	carré d'as	four aces
la	carotte et le bâton	the carrot and the stick
les	carottes sont cuites !	we've had it!
se	casser la figure (*or* la gueule)	to be bankrupt, to go belly up, to come a cropper (to fall)

la	chaussée en fusion	the road melting in the heat
	chercher des crosses à quelqu'un	to pick a quarrel with somebody
	cherchez l'intrus	find the odd one out
	chose promise, chose due	promises are made to be kept
le	cinéma d'art et d'essai	avant-garde, experimental films
un	clin d'œil	a wink, a nod (to something)
le	cœur serré d'angoisse	an aching heart
à	colombages	half-timbered
un	colporteur de rumeurs/ragots	a gossipmonger
une	comédie de mœurs	a comedy of manners
la	couche d'ozone	the ozone layer
un	coup de semonce (nf)	a warning shot (across the bows) (naut.)
	couper le soufflet à quelqu'un	to take the wind out of somebody's sails
une	coupure de presse	a press cutting
	coûter les yeux de la tête	to cost an arm and a leg

un	croc-en-jambe, faire…	to trip somebody up cf. croc- (section 3)
se	débarbouiller	to give one's face a quick wash
une	décision capitale	an important decision
en	décrivant par le menu	describing in (minute) detail
un	dédale de couloirs	a maze of corridors
en	définitive	eventually, in fact, when all is said and done
un	*délai* de livraison	a *time* of delivery
la	démarche souple	a graceful way of walking (gait)
ma	démission, j'ai donné…	I've resigned
	depuis des lustres	for ages, for aeons
	déroger aux règles	to depart from the rules
	donner le change	to allay suspicion
j'ai	dû me tromper	I must have been mistaken
l'	eau va à la rivière	everything's coming along nicely
	émonder le buisson	to prune the bush

j'	en ai pour deux minutes	I'll only be a couple of minutes
	enchanté(e) de faire votre connaissance	I'm glad to meet you
qu'	en pensez-vous ?	what do you think of that?
	entre deux eaux	just below the surface
un	épouvantail dans un champ	a scarecrow in a field
l'	espace (nm) d'un instant	for a moment
	espérer contre tout espoir	to hope against hope
l'	esprit d'escalier, avoir…	to think of an apt reply too late
il	étouffa un bâillement	he stifled a yawn
s'	étrangler de rire	to kill oneself laughing
	évolué(es), pas très…	not very advanced, not very developed
	faire ripaille	to have a good blow-out, feast
	faire une déposition	to give evidence
les	Falaises Blanches (de Douvres)	the White Cliffs (of Dover)
	farces et attrapes	practical jokes and tricks

un	fauteuil roulant	a wheelchair
se	fendre la pêche	to laugh one's head off
ton	fidèle groom / serviteur	your faithful servant (hum.)
un	filet de protection	a safety net
le	fin du fin	the best
la	fin justifie les moyens	the end justifies the means
un	fin renard	a sharp customer
	flanquer quelqu'un à la porte	to sack somebody
	flanquer tout en l'air	to chuck it all in
se	flatter de quelque chose	to pride oneself on something
le	foie sensible	a delicate (sensitive) liver
	fouiller dans mes affaires	to rummage through my things
	frappé(es) de stupeur	thunderstruck
	gagner d'une demi-tête	to win by a nose
	gardez le sourire !	keep smiling! (annoying!)

	gare à ta tête	mind (you don't bang) your head
un	gâteau semoule	rice pudding cf. gâteau (section 3)
un	génie en herbe	a budding genius
un	gobe-mouche, c'est...	he'd swallow anything
de	grâce, mon seigneur	have mercy, oh master (humorous)
le	gros lot	the jackpot, the prize
la	guerre clanique/des bandes/des gangs	gang warfare
l'	heure (nf) de fermeture	closing time
	heurter le bord du trottoir	to hit the kerb
l'	homme de confiance	the main man, the right-hand man
un	homme-orchestre	a one-man band
	hors d'haleine (nf)	out of breath
un	hôtel potable	a half-way decent hotel
l'	idée du siècle	the idea of the century
une	imprimante série	a serial printer

il	injuria un enseignant	he swore at a teacher
	Jacquot, le perroquet	Polly, the parrot
un	jeu de hasard	a game of chance
	juger sans parti pris	to take an unbiased/objective view
le	juste milieu	a happy medium
la	lame de fond	ground swell
ton	larbin, je ne suis pas…	I'm not your servant! cf. larbin (section 3)
du	lèche-vitrine, faire…	to go window-shopping
un	lieu d'étude	a place of learning
la	lumière au bout du tunnel	light at the end of the tunnel
un	magasin de farces-attrapes	a joke and novelty shop
une	maille à partir (avec…)	a bone to pick (with…)
de	main morte, il n'y va pas…	he doesn't pull his punches
en	main(s) propre(s)	in person (hands not necessarily clean!)
	malgré elle, malgré lui	in spite of herself/himself
il	mangea sur le pouce	he ate on the go, on the wing

	manquer de pot	to be out of luck, unlucky
	marqué(es) à jamais	marked for ever cf. à jamais (section 3)
un	match de barrage	a relegation match
le	même topo	the same old story
le	mets d'élection	one's favourite food
	mettre en boîte	to rib, to tease
	mettre l'occasion à profit	to make the most of something
	mézigue, c'est pour...	it's for yours truly (humorous)
	mi-figue mi-raisin	wry, ironic, mixed
la	mode zazou (des années 40)	the jazz-swinger styles (of the 40s), hepcat!
se	monter le bourrichon	to get (a notion) in one's head
se	moquer gentiment de quelqu'un	to make gentle fun of somebody
une	morsure de serpent douloureuse	a painful snakebite
le	moyen d'arriver à ses fins	the means to an end
	en nage, il était...	he was sweating heavily

	narguer la tradition	to flout tradition
à	neuf heures pile	on the dot of nine o'clock
le	nez fourré dans un livre	her/his nose stuck in a book
au	niveau voulu/à la hauteur	up to scratch, up to speed
	noir sur blanc, je l'ai lu...	I read it in black and white
une	nouvelle jeunesse	a new lease of life
en	noyant le poisson	evading the issue
je	n'y étais pour rien	it was none of my doing
l'	option (nf)/la valeur par défaut	the default option (computer)
un	paiement unique	a lump sum
	par-dessus le marché, en plus	into the bargain
	parler à bâtons rompus	to talk of this and that
la	partie cachée de l'iceberg	the hidden aspects of the problem
un	passage clouté	a pedestrian crossing
un	passe-muraille	a chameleon
le	pastis, être dans... (slang)	to be in a fix, a jam

le	pays de provenance	the country of origin
la	peau unie, le teint uni	a smooth skin, complexion
	percer à jour	to see right through somebody, something
	perclus(es) d'arthrite	crippled with arthritis
	perdre les pédales	to lose one's grip (on life)
	peu ou prou	to a greater or lesser extent
le	pied de grue, faire…	to hang around waiting
	piquer un fard	to blush, to go bright red
	piquer un somme	to have forty winks
un	pis-aller	second best, a stopgap
la	pisse-d'âne	cat's piss (*and while we're on the subject*:)
un	pisse-vinaigre	a wet blanket, a skinflint
le	plancher des vaches	dry land
un	plateau de courtoisie	tea- and coffee-making facilities
	plein(es) d'allant	full of drive and energy
la	pluie crépitait sur le toit	the rain drummed on the roof(-top)
une	poignée de main	a hand-shake

un	poisson d'avril	an April fool
la	politesse au volant	manners on the road
un	pont en dos d'âne	a humpback bridge
du	pot, avoir…	to be lucky
un	pot de départ	a leaving party
la	porte s'ouvrit lentement	the door slowly opened
le	pouce (la main) vert(e)	green-fingered
la	poudre de Perlimpinpin	magic remedy, fairy dust
un	pousse-pousse (!)	a rickshaw
une	pratique courante	a standard practice
	prêcher pour son saint	to have an axe to grind
	prendre ses jambes à son cou	to run off, to scarper
	pressé(es) de partir	in a hurry to leave
un	prétendu génie	a so-called genius
	preuve ? As-tu aucune…	have you any proof?
	prévenu(es) d'un délit	charged with an offence
une	prise de bec bruyante	a noisy argument, barney, set-to

à	proprement parler, en toute rigueur	strictly speaking
	quelque chose cloche	something's not quite right
la	question épineuse	the thorny question
ne	quittez pas, s'il vous plaît	please hold the line (telephone)
la	racine carrée	the square root
une	rage impuissante, dans…	in an impotent rage
	rater la correspondance	to miss one's connection
	reculer pour mieux sauter	to put off the evil hour
un	regard glacial	a stony stare
un	relevé de compte	a bank statement
le	relevé du compteur	the meter-reading
se	remettre au turbin	to get back to work
en	retard ce matin, je suis	I'm running late this morning
en	retenant son souffle	with bated breath
en	revanche, par contre	on the other hand
se	réveiller en nage	to wake (up) in a (cold) sweat

	rire comme une baleine	to laugh like a drain
	rire sous cape	to laugh up one's sleeve
	rivé(e) à son ordinateur	glued to his/her computer
en	rodage, la voiture était…	the car was 'running in'
le	roi des fromages	the prince of cheeses
	sans tiquer	without turning a hair
un	saut-de-loup	a (wide) ditch
un	saut de puce, une escale	a stopover (aeroplane)
un	saut périlleux	a somersault
	sauvé(es) par le gong	saved by the bell
	savoir flairer les scoops	to have a (good) nose for a story
ça	sent le roussi	I smell trouble (something fishy)
le	service avec hargne (nf)	service with a snarl (!)
un	service puissant, il a…	he has a strong service (tennis)
le	seul moyen (de…)	the only means/way (of…)
	soigner le mal à la racine	to get to the root cause

	tailler une bavette	to have a natter
	tape-à-l'œil	flashy, showy
une	tapée de…	loads of…, masses of…
un	tapis usé jusqu'à la trame	a threadbare carpet
	télécharger (légalement)	to download (legally)
se	tenir à carreau	to keep one's nose clean
	tenir le gouvernail	to be at the helm
	tenir rigueur à quelqu'un	to hold it against somebody
	tenter le sort	to tempt fate
une	tête de linotte, avoir…	to be scatterbrained
du	tintouin, se donner…	to go to a lot of trouble
	tiré(es) à quatre épingles	well-dressed, well turned out
	tiré(es) par les cheveux	far-fetched, bizarre
il	tire sur la cinquantaine	he's pushing 50
ne	tirez pas sur le messager	don't shoot the messenger
	tous azimuts	all over the place, everywhere
par	tous les moyens	by all possible means

	tout d'un coup	suddenly
à	tout à l'heure	see you soon
se	triturer les méninges	to rack one's brain
	trois fois d'affilée	three times in a row
	trop d'intérêts en jeu	too many clashing interests
de l'	ubac à l'adret	from the north- to the south-facing slope
	vendre au détail	to (sell) retail
	vendre la mèche	to let the cat out of the bag
le	verbe haut, avoir…	to sound high and mighty
	verre dépoli	frosted glass
sa	veste lui va à ravir	his jacket suits him to perfection, to a T
de	vieilles pierres usées	old, worn stone (steps)
je	viens de manger	I've just eaten
en	vigie depuis le chien-assis	watching from the dormer window
la	vitre d'un abribus	the glass of a bus shelter
une	voiture de place	a taxicab, a Hackney carriage (hist.)

une	voiture pie	a patrol car
une	voix au chapitre, avoir…	to have a say in the matter
la	voix pâteuse, avoir…	to slur one's speech
une	volonté de fer	a will of iron
je	vous le passe	I'll put you through to him (telephone)
au	vu et au su de tous	openly and publicly

SECTION 3
Don't confuse your gué (ford)
with your gui (mistletoe)…

TWINS, TRIPLETS, ETC

les	actions (nfpl)	1) actions 2) (stocks and) shares
une	ampoule/ampoulé(es)	1) a bulb 2) a blister/ pompous, bombastic
un	asticot/asticoter	a maggot/to needle, to get at, to plague
un	avocat/ un(e) avocat(e)	an avocado (pear)/ a lawyer
	bedonnant(es)/ bidonnant(es)	paunchy, pot-bellied/ hilarious, a 'scream'
un	blaireau	1) a badger 2) a shaving brush
	blâmer	1) to blame 2) to rebuke, to reprimand
	bléser/blesser	to lisp/to hurt, to wound
un	bœuf	1) an ox 2) a jam-session (music)
une	boîte/boiter	1) a box 2) a nightclub/ to limp

un boulon (avec son écrou)/un boulot	a bolt/work, a job
un bourdon	1) a bumblebee 2) a typo (omission)
un cabot/un caboteur/ le cabotinage	a dog, a mutt/a coaster (boat)/ham acting (!)
un cafard	1) a cockroach 2) a sneak, a telltale
la Camarde/un(e) camarade	the Grim Reaper (!)/ a friend
un canon	1) a gun, a canon 2) a model, a norm 3) a glass of wine 4) a spout
la cantine	1) a canteen 2) a tin trunk
un carabin/une carabine	a medical student/a gun, a rifle
une carapace/carapater	a (tortoise) shell/to skedaddle, run off, hop it
une carotte/carotter	a carrot/to nick, to pinch, to swipe
la carte	1) the card 2) the map 3) the menu
un champignon/ un champignon (slang)	a mushroom/ an accelerator (car)

une	chiffe/un chiffon/ chiffonner	a wet rag (drip)/ 1) a duster 2) a mess/to crumple
une	chenille/une cheville	a caterpillar/1) an ankle 2) a hook, a peg, pin
les	chevaux (nmpl)/ les cheveux (nmpl)	the horses/hair
le	chômage/ un dommage	unemployment/a pity, a shame
une	chouette/chouette !	an owl/great, nice, sweet!
une	cigogne/la ciguë	a stork/hemlock (poison)
	clamer/clamecer (clamser)	to shout out, to proclaim/ to kick the bucket
un	clin d'œil	a nod, a wink, *and* a veiled reference
	clopiner/un(e) copin(e)	to hobble, to limp/a friend, a pal
	coller/un collier	to stick/a necklace
un	comédon/un(e) comédien(ne)	a blackhead (on skin)/ an actor
	compris(es)	1) agreed 2) included 3) understood

	couler / couver	to flow, to sink / to smoulder, to simmer
une	coupe / couper	a dish, a bowl / to cut
un	courriel / le courrier / une courroie	an e-mail / the post / a strap
	crisper / crisser	to tense, to clench / to crunch, to rustle
un	croc-en-jambe, un croche-pied, faire…	to pull a fast one on somebody, to trip somebody up
un	curé / la curée	a parish priest / the quarry
un	curseur / un cursus	a slide, a slider, a cursor / a degree course, a career path
une	dalle / que dalle !	a paving stone, a slab / damn all! nothing at all
	déballer / déballonner (se)	to unpack, to lay out / to chicken out
	débauché(es) / débaucher	debauched / to poach (job etc)
se	débiner / débiner	to clear off / to knock down, to run down

déborder		1) to overflow
		2) to untuck (bed clothes)
dégriser / déguiser		to sober up / to disguise
déjanter		1) to remove from its rim
		2) to go crazy
un	dépôt / le dépotage	deposit(ing) / transplanting, decanting (wine etc)
	dérober / déroger cf. déroger (section 2)	to steal, to conceal / to lower oneself, to go against
	dessous / dessus	below, beneath, under / above, over
une	dragée cf. hold out (section 6)	1) a sugared almond 2) a bullet
	drainer	1) to drain 2) to channel
un	échafaudage / une échauffourée	scaffolding / a brawl, a clash (with police)
un	échalier / une échalote	a stile, a gate / a shallot
un	échec / échouer	a defeat, a setback / to fail, to fall through, to run aground

	embauché(es)/mal embouché(es)	engaged, taken on/ foul-mouthed
un	endossement/ endosser	an endorsement/ 1) to put on 2) to take responsibility
	entoiler/ entôler (de)	to mount on canvas/to con, fleece (out of)
un	épaulard/ une épaule/épauler	a killer whale/ a shoulder/ to support
une	espagnolette/ une esperluette	a window catch/ an ampersand
une	esse	1) a hook 2) a linchpin 3) a sound-hole (violin etc)
un	essieu/ un essuie-glace	an axle(-tree)/ a windscreen wiper
	fade(s) (adj.)/ fadé(es) (adj.)	bland, insipid, tasteless/ first-class, priceless
un	falot/falot(es) (adj.)	1) a lantern 2) a court martial/ colourless
le	fiel/le miel	bitterness/honey
	filandreux, -euse(s)	1) stringy 2) long-winded
un	frelon/un grêlon/ un grelot	a hornet/a hailstone/ a (little spherical) bell
	gallois(es) (adj.)/ gaulois(es) (adj.)	Welsh/Gallic

42

un	garçon	1) a boy
		2) a waiter
la	gare / gare à cf. gare à (section 2)	the station / beware of, take care
un	gâteau / un(e) gâteux, -euse	a cake / a doddering old man, woman
	givré(es) (adj.)	1) iced (up)
		2) bonkers, nuts
la	glace	1) ice
		2) a mirror
un	gobe-mouche cf.gobe-mouche (sect. 2)	1) a flycatcher
		2) a gullible person
la	gorge	1) the gorge
		2) the throat
une	gourde	1) a flask, a gourd
		2) a numbskull
un	gué / le gui	a ford / mistletoe
la	guerre / guère	the war / barely, hardly
	haler / hâler	to haul in, to tow / to (sun)tan
	haut les mains / haut la main	hands up / (to win) hands down (!)
	honnête(s) / honteux, -euse(s)	honest / disgraceful, shameful

la	hotte	1) the basket 2) the hood 3) Santa's sack
du	houblon/un hublot	hops/a porthole
une	idylle	1) an idyll 2) a romance
	imposer/imposé(es)/ un(e) imposé(e)	to set, to lay down/ taxable/a taxpayer
à	jamais/jamais	for ever/never
	jamais/je l'aimais	never/I loved her/him
un	jeûne/jeune(s) (adj.)	a fast (eating nothing)/ young
un	kaki/kaki (adj. invariable)	a persimmon, sharon fruit/khaki, olive drab
un	lad/ladre(s) (adj.)	a stable boy/mean, miserly
la	ladrerie/une ladrerie	meanness, miserliness/ a leper house
	laissez-moi	1) allow me 2) leave me alone
une	lame cf. lame (section 2)	1) a strip 2) a blade 3) a wave (sea)
un	laps/un lapsus	a period of time/a slip of the tongue
le	larbin/le larcin	the flunkey, the servant/the theft

larguer/narguer cf. narguer (section 2)	to loose, release, unfurl/to flout
une légende	1) a legend 2) a caption 3) a key (to map etc)
les lentilles (nfpl)	1) lenses 2) lentils
la lèvre/le lièvre	the lip/the hare
une limace/une lime	a slug/ a (nail etc) file
un livre/une livre	a book/a pound (money and weight)
le lustre (nm) cf. depuis (section 2)	1) shine 2) prestige 3) chandelier
une marche/un marché/ marcher	a stair, a step/ a market/to walk
mater/matir	1) to subdue 2) to ogle/to dull
le Midi/midi	the South of France, the Midi/ midday
monter/montrer	to go up, to climb/ to show
la mort/un mort/ une morte	death/a dead man/ a dead woman
la mousse/le mousse	1) moss 2) foam rubber/ ship's boy (hist.)

un moutard/un motard/ la moutarde	a brat, a kid/a motorcyclist/mustard
un mulet/un mulot	a mule, a mullet/ a field mouse
un naseau/nase(s) (adj.)	a nostril (horse etc)/ bust, kaput, conked out
une nèfle/des nèfles !	a medlar (fruit)/ nothing doing, not likely!
un oreiller/un oreillon/ les oreillons	a pillow/an apricot half/mumps
l' outrance/à outrance	extravagance/ to excess, to extremes
la pagaille/la racaille	chaos, mess, shambles/the rabble
un palot/pâlot(tes) (adj.)	a kiss/pale, peaky
un papillon	1) a butterfly 2) a (parking) ticket, a sticker
un(e) papivore/un pavot	an avid reader/ a poppy
la pelote	1) a ball (of wool etc) 2) pelota (sport)
le plancher/plancher (slang)	the floor/to talk (on), to work (on)
un plat/une plate/ plat(es) (adj.)	a dish/a punt/ flat, smooth, straight

une plombe / une plombée / plombé(es) (adj.)	an hour / a bludgeon / leaden, filled (tooth)
plus tôt / plutôt	earlier / rather
un poids / un pois	a weight / a pea
un poil / poilant(es)	a hair / hilarious
à poil / au (quart de) poil !	stark naked / fantastic!
un pois / la poix	a pea / pitch (tar)
le poison / un poisson	poison / a fish
potable(s)	1) drinkable 2) acceptable, passable
un pou / un pouce	a louse / a thumb
une praire / une prairie	a clam / a meadow, a prairie, grassland
un presbytère / presbyte(s) (adj.)	a presbytery / long-sighted
un puits / puis	a well, a shaft, a pit / next, then
la quille	1) the skittle 2) demob (slang)
se radiner / la radinerie	to turn up, show up / stinginess
un rancard / au rancart, mettre…	a tip, meeting, date / to chuck out, to scrap

un	rapin/la rapine	a painter, a dauber/ plundering
un	rayon	1) a light beam 2) a department 3) a shelf
la	recette	1) the recipe 2) the takings
	recuit(es) (adj.) (figurative)	1) sunburnt 2) deep-rooted (hatred etc)
	retraiter/ un(e) retraité(e)	to reprocess/a pensioner, a retired person
la	rinçure	1) rinsing water 2) cheap wine (hum.)
un	sarment/un serment	a climbing stem, a (vine) shoot/an oath
un	schlass/schlass (adj. invariable)	1) a knife 2) sozzled, plastered, sloshed
une	serre	1) a greenhouse 2) a claw, a talon
une	serviette	1) a towel 2) a briefcase
	sourd(es) (adj.)/ sourdre	deaf/to rise, to spring *or* well up
	subtil(es)/subtiliser	subtle, discerning/ to steal, to 'spirit away'

un	suisse/suisse (adj.)	a verger/Swiss
une	syncope/ syncopé(es)	a fainting fit/1) syncopated 2) flabbergasted
une	théorie	1) a theory 2) a procession, a file
le	tiercé/tiers, tierce (adj. *and* noun)	the tierce (betting on horses)/a third
la	timbale/le timbrage	the kettledrum/stamping, postmarking
une	torchère/ un torchon	a flare/a duster, a tea towel
un	train/en train de…	a train/ in the process of…
une	tranche/ une tranchée	a slice/ 1) a trench 2) a cutting
une	trombe/une trombine	a waterspout/a face, a mug, a nut (head)
le	truchement/ le truquage	the intervention, medium, aid/fixing, rigging
une	turbine/turbiner	a turbine/to graft, to slog
un	tuyau	1) a pipe, a vent 2) a lead (in investigation)
un	ulcère/ulcéré(es)	an ulcer/appalled, sickened

SECTION 4 – Lists

Classify, diagnose, drive, identify and watch…

INSECTS

une abeille	a bee
une araignée	a spider
un bourdon	a bumblebee
un cafard cf. cafard (section 3)	a cockroach
un cerf-volant	a stag beetle Also: a kite (to fly)
une cigale	a cicada
un cloporte	a woodlouse
une coccinelle, une bête à bon Dieu	a ladybird
un criquet, une sauterelle	a locust, a grasshopper
un doryphore	a Colorado beetle
une drosophile	a fruit fly cf. mouche du vinaigre (below)
une fourmi	an ant
un frelon	a hornet
un grillon, un cri-cri	a cricket
une guêpe	a wasp

un hanneton	a cockchafer, a may bug/beetle
une libellule, une demoiselle	a dragonfly
une luciole	a firefly
une mouche	a fly
une mouche à viande	a blowfly, a bluebottle
une mouche du vinaigre	a fruit fly cf. une drosophile (above)
une mouche tsé-tsé (inv.)	a tsetse fly
un moucheron	a gnat, a midge
un moustique	a mosquito
un papillon cf. papillon (section 3)	a butterfly
un perce-oreille (!)	an earwig
les petites bestioles	creepy-crawlies (!)
un pou, des poux	a louse, lice
un puceron	an aphid, a greenfly
un puceron cendré	a blackfly
un scarabée	a beetle (general)
un taon	a gadfly
une tique	a tick

MALADIES

une angine, une amygdalite	tonsillitis cf. angine (section 1)
l'anorexie (nf) mentale	anorexia nervosa
l'arthrite (nf) cf. perclus(es) (sect. 2)	arthritis
la boulimie	bulimia
la coqueluche	whooping cough
une crève (fam.)	a *bad, heavy* cold
une crise cardiaque	a heart attack
une crise de panique	a panic attack
la démence (sénile)	(senile) dementia
diabétique, être…	to be diabetic
la diarrhée	diarrhoea, the runs
enrhumé(es), être…	to have a cold
la fièvre typhoïde	typhoid (fever)

la gale	scabies
la grippe (très très forte)	influenza (man-flu!)
un haut-le-cœur, avoir…	to heave, to retch
une injection, une piqûre	an injection
la lèpre	leprosy
la mononucléose infectieuse	glandular fever
la nausée	nausea
les oreillons	mumps
le palu(disme)	malaria
la poliomyélite	polio(myelitis)
le rachitisme	rickets
la rage	rabies
la rage de dents	toothache
un rhume	a cold
la rubéole	rubella
la rougeole	measles
la scarlatine	scarlet fever
la sclérose en plaques	multiple sclerosis
le scorbut	scurvy

le tétanos	tetanus
la varicelle	chickenpox
la variole, la petite vérole	smallpox
le (virus du) sida	(the) AIDS (virus)
un zona, avoir…	to have shingles

AUTOMOBILE

accélérer / ralentir	to accelerate / to slow down
l'apprenti(e) conducteur, conductrice	the learner (driver)
la bande d'arrêt d'urgence	the hard shoulder
une barre de remorquage	a tow bar
une berline à quatre portes	a four-door saloon
le capot	the bonnet
une ceinture de sécurité	a seat belt
la chaussée	the road(way)
la circulation légère / dense	light / heavy traffic
en clignotant / un clignotant	indicating / an indicator
le coffre	the boot
coller au train de quelqu'un	to tailgate cf. hayon (below)
conduire à grande vitesse	to drive fast

la courroie de ventilateur	the fan belt
doubler	to overtake
un embouteillage, un bouchon	a traffic jam
l'engrenage (nm)	the gears
un enjoliveur	a hub cap
un essieu, un axe	an axle(-tree)
l'essieu avant / arrière	the front / back axle
un essuie-glace	a windscreen wiper
le frein à main	the handbrake (lever)
freiner	to (apply the) brake
les freins	the brakes
la grande route, la route nationale	the highway
un hayon arrière	a tailgate cf. coller (above)
une infraction mentionnée sur le permis de conduire	an endorsement on a driving licence
le levier de changement de vitesse	the gear lever
à mi-vitesse	at half speed
un monospace (!)	a people carrier
un papillon (slang) cf. P.-V. (below)	a (parking) ticket

un parc(o)-mètre	a (parking) meter
un pare-boue	a mudguard
le pare-brise	the windscreen
le pare-chocs	the bumper
la pédale d'accélération	the accelerator
un permis de conduire	a driving licence
la place du conducteur	the driving seat
la plage arrière	the back shelf, the parcel shelf
la plaque d'immatriculation/ minéralogique/ de police	the number plate
la plaquette de frein	the brake pad
le pneu(matique)	the tyre
le pot d'échappement	the exhaust pipe
prendre un virage	to (turn a) corner
un P.-V. : un procès-verbal	a parking ticket
ralentissez, s'il vous plaît	slow down, please
le rétroviseur	the rearview mirror
une route accidentée, en lacets	a *winding* road
un sabot (de Denver)	a wheel clamp
un saut-de-mouton	a flyover

le siège arrière	the back seat
le siège du passager	the passenger seat
une six-cylindres	a six-cylinder car
le tableau de bord	the dashboard
le terre-plein	the central reservation
la tête de bielle	the big end
tomber en panne	to break down
tourner au ralenti	to tick over
la vitre arrière	the rear window
une voiture décapotable	a convertible
le volant (de direction)	the steering wheel
la voie de *gauche*/rapide	the fast lane
une voiture de série	a standard car

FOOTIE (Le FOOT !)

accorder	to concede
l'arbitre (m/f)	the referee
la balle, le ballon	the ball
le ballon est sorti en touche	the ball has gone into touch
un but	a goal
un carton jaune/rouge	a yellow/red card
changer de camp	to change ends
un coup (de pied) de coin	a corner
un coup (de pied) en touche	a kick to touch
la Coupe du Monde	the World Cup
un défenseur	a defender
une épreuve de tirs au but	a penalty shoot-out
les épreuves de sélection	trials, heats
faire du chiqué	to take a dive (!)
faire match nul	to draw (a match)
faire une chute	to take a tumble

la foule	the crowd
une frappe	a kick
le gardien de but	the goalie, the goalkeeper
les gradins	the terraces
jouer la montre	to play for time
marquer un point	to score a goal
marquer un opposant	to mark an opponent
un match de sélection	a trial match
mettre la balle en touche	to send the ball into touch
mis sur la touche, être…	to be put on the sidelines
la mi-temps	half time
pile ou face, tirer à…	to toss the coin
un point de pénalité	a penalty point
la règle du hors-jeu	the offside rule
remporter la victoire, gagner	to win
la surface de réparation	the penalty area, the penalty box
sur la touche, rester…	to stay on the bench
un tac(k)le farouche	a fierce tackle
le terrain (de foot)	the pitch
une touche	a touchline, a throw-in

BIRDS (2) For Birds (1) see Book ONE

un autour	a goshawk
un balbuzard (pêcheur)	an osprey
une bécasse	a woodcock Also a (silly) goose
un bécasseau, un chevalier	a sandpiper, a young woodcock
une bécassine	a snipe Also a (silly) goose
un bec-croisé	a crossbill
un bouvreuil	a bullfinch
un bruant (des roseaux)	a (reed) bunting
un butor	a bittern
un calao	a hornbill
un canard (mâle)	a drake
un canard siffleur	a widgeon
une cane	a (female) duck
un chardonneret	a goldfinch
un chat-huant	a barn owl
un choucas	a jackdaw
un colibri	a hummingbird

un colvert	a mallard
un échassier	a wader
un engoulevent d'Amérique	a nighthawk
un engoulevent d'Europe	a nightjar
une épeiche	a great spotted woodpecker
une épeichette	a lesser-spotted woodpecker
un épervier	a sparrowhawk
un étourneau, un sansonnet	a starling
un faucon cf. hawk-eyed (sect. 6)	a hawk, a falcon
une fauvette des haies *or* d'hiver	a hedgesparrow
un flamant (rose)	a (pink) flamingo
un fou (!) (de Bassan)	a gannet
un freux (un corbeau)	a rook
un grand duc (!)	an eagle owl
un goéland (une mouette)	a (sea) gull
une grue cf. pied (section 2)	a crane
une hirondelle de fenêtre	a house martin
une hirondelle de rivage	a sand martin
un hochequeue, une lavandière	a wagtail

un jaseur	a waxwing
une linotte cf. tête de (section 2)	a linnet
un merle	a blackbird
une mésange huppée	a crested tit
un milan	a kite
un moineau	a sparrow
une mouette cendrée	a common gull
une mouette tridactyle	a kittiwake
une oie cf. goose (section 6)	a goose
un oiseau bleu	a bluebird
un oiseau de mer, un oiseau marin	a sea bird
un oisillon	a young/little bird
une perruche ondulée	a parakeet
un petit grèbe	a dabchick
un pingouin cf. pingouin (sect. 1)	an auk
un pipit (des arbres)	a (tree) pipit
une poule d'eau	a moorhen
un râle des genêts	a corncrake
un ramier	a ringdove

un roitelet (huppé)	a wren (a goldcrest)
une rousserolle	a marsh warbler
une sarcelle	a teal
une sittelle, un grimpereau	a nuthatch
une sterne, une hirondelle de mer	a tern
un traquet, un cul-blanc	a wheatear
un verdier	a greenfinch

SECTION 5

Learn to play cards in French…

MISCELLANEOUS

accort(es)	attractive *not* short (!)
une arrière-pensée	an ulterior motive *not* an afterthought
j' arrive demain	the present tense can be used here
aucun problème, aucune idée	these phrases can fix gender in mind
avec superbe: with pride, haughtily	not as superb as all that
le bâbord, le tribord	port (side), starboard (side)
bedonnant(es)	paunchy; *nothing to do with giving*
bien éduqué(es)	well brought up *more* than well-educated
bonjour-r-r ! Final r not silent (as t is)	roll that final 'r'!
un carré blanc (on the television)	'unsuitable for children' *not used any more*
un carreau, une pique	a diamond, a spade (card suits)
un clin d'œil	a nod to *as well as* a wink

un	cœur, un trèfle	a heart, a club (card suits: couleurs (nfpl))
un	courriel (e-mail)	*and* une arobase (arroba: @)
une	dame blanche	a barn owl *not* a white woman
l'	eau (nf) de Javel	bleach
	élancé(es)	slender *and* tall
à	l'encontre de	contrary, counter to *not* an encounter
	'encore un verre, svp' preferred to:	'un *autre* verre' (*implies dissatisfaction*)
	emmagasiner: to amass, to store	*not* to put in a magazine
l'	entrepont (nm): steerage (nautical)	*not* in, under or between a bridge
une	exécution, un secrétaire	NB: acute accent on the second e
	filasse	blonde, tow-haired *not* stringy (hair)
	Fontainebleau	ends -bleau not -bleu
	gallois(es) (adj.)/ gaulois(es) (adj.)	Welsh/Gallic
	gares desservies	stations served *not* 'out of service'
un	jeûne: a fast	*don't confuse with* jeune(s) (young)

	jésus, raisin, carré, coquille	all types of paper
une	grand-mère: a grandmother	*but*: a grandson: un *petit*-fils
	hebdomadaire	weekly cf. huitaine (below)
l'	Hôtel de Ville: the Town Hall	do not try to stay here
une	huitaine: a week	I refrain from comment…
une	jenny	a spinning jenny
un	jour tranquille	*the word* 'tranquil' *does not exist in French*
un	jour, une journée	a day (*used in different ways*)
une	librairie : on paye (a bookshop)	une bibliothèque : libre (a library)
un	minotier: a miller	to me this sounds more like a miner
du	poil de la bête, reprendre…	to pick up again, to regain strength *not* a hair of the dog!
un	problème, un symbole, un verre	NB these words are masculine
à la	prochaine fois	phrases like these help to fix gender in one's mind
	propre(s) (adj.)	1) clean: ma main est propre 2) own: ma propre main

une	quatre chevaux	a car (no horses around) *but* think horsepower
une	quinzaine: a fortnight	again, I refrain from comment…
	quitté(e), il m'a…	this *can* mean 'he has died'
	rebattre (*not* to hit again)	to harp on about, to reshuffle
les	Roche (no final s in the French)	the Roches
se	sauver: to make oneself scarce	*not* to save oneself
un	séjour, des vacances	a short break, a holiday
un	soir, une soirée	an evening (*used in different ways*)
un(e)	soûlographe (hum.)	a lush, a piss-artist
	sucre *roux*	*brown* sugar
les	trois singes (de la sagesse)	aveugle, sourd, muet (blind, deaf, dumb)
	vertement	sharply (*nothing to do with green*)

SECTION 6

Pay attention at the back…

ENGLISH EXPRESSIONS

all aboard!	en voiture ! tout le monde à bord !
above average	au-dessus de la moyenne
above board	régulier(s), -ière(s), correct(es)
an abridged edition	une édition abrégée (du livre)
ages, it's been…	ça fait un bail
all things considered	tout compte fait
angles, from all…	sous toutes les coutures
around thirty euros	dans les trente euros
an astute business partner	un(e) associé(e) astucieux, -ieuse
a bad start	un mauvais départ
he banged the door closed (slammed it)	il a claqué la porte
to beat about the bush	tourner autour du pot
a beggar, a tramp	un(e) va-nu-pieds (invariable noun)

to	belly flop	faire un plat
	beware of the wolf!	gare au loup !
a	bit of a boozer, to be...	avoir la dalle en pente (!)
a	blind date	un rendez-vous avec un(e) inconnu(e)
	blood, sweat and tears	le sang, la sueur et les larmes (nfpl)
to	blow bubbles	faire des bulles
	blue-green eyes	les yeux pers
to	blunder, to drop a clanger	faire une bourde
	boating, sailing, yachting	la (navigation de) plaisance
	bone idle, to be...	avoir un poil dans la main
a	bone of contention	un brandon de discorde
to	break a promise	manquer à sa parole
to	break-dance	danser le smurf
to	break down (a car)	tomber en panne
to	build bridges	jeter un pont
a	bunch of nutters	une bande de barjots
a	bungling fool (!)	un(e) idiot(e) maladroit(e)
a	burning will to live	une ardente envie de vivre

a	burnout, there's been…	les circuits sont grillés
	by the bucketload	à la pelle
	by the way	entre parenthèses
a	card from yours truly (hum.)	une carte de votre humble serviteur
to	catch up with her/him	pour arriver à sa hauteur
to	champ at the bit	ronger son frein
a	change of scene	un changement de décor
to	change one's mind	changer d'avis
to	change one's tune	changer de discours
to	charge a battery	recharger une pile/ une batterie
to	cheat and steal	tricher et voler
a	chinless wonder	une chiffe molle
he	chose his words with care	il surveillait son langage
he	clapped his hands	il tapa dans ses mains
a	complimentary copy	un exemplaire à titre gracieux
to	*confirm* your registration	pour *terminer* votre inscription (nf)
	cops and robbers	les gendarmes (nmpl) et les voleurs (nmpl)

it	costs an arm and a leg	ça coûte les yeux de la tête
a	crossword puzzle	les mots croisés
a	crust of bread	un quignon de pain
to	cry foul	crier à l'injustice
to	cry one's eyes out	pleurer à chaudes larmes
the	customary greetings	les compliments d'usage
	daylight robbery!	c'est du vol !
a	dedicated follower of fashion	un fervent adepte de la mode
the	default position (computer)	la position par défaut (ordinateur)
a	definite maybe (hum.)	peut-être pour sûr
to	deny somebody something	dénier quelque chose à quelqu'un
	dexterity, a little...	un peu de doigté
	directly, without receipt	de la main à la main
to	discombobulate a plan/a person	chambouler / déconcerter
it	doesn't suit me (to...)	cela ne m'arrange pas (de...)
	done behind our backs	fait(es) dans notre dos

	don't mention it	je vous en prie
	don't rock the boat	ne fais pas de vagues
	dressed to the nines	sur son trente et un
to	drive flat out	rouler plein pot
to	draw the short straw	tirer le mauvais numéro
at	dusk	entre chien et loup
	Dutch, we went...	chacun de nous a payé son écot (nm)
to	eat humble pie	faire amende honorable
to	eat on the go, on the hoof	manger sur le pouce
an	eclectic mix(ture)	un mélange éclectique
	emboldened by wine	le vin aidant
the	end is in sight	ça se tire
	everything goes his way	tout lui sourit
an	exercise ticked in red (pen)	un exercice coché d'un trait rouge
to	fall on hard times	tomber dans la débine
	famished, starving, to be...	avoir / crever la dalle
a	famous luvvie (hum.)	un acteur célèbre (et prétentieux !)

	faultless, flawless	sans bavure, sans erreur
	fingers crossed!	croisons les doigts !
the	first available chair	la première chaise disponible
the	first instalment	le premier épisode, le premier versement
to	flirt with danger	frayer avec le danger
	food for thought	du pain sur la planche
	foul-mouthed, in a foul mood	mal embouché(es)
a	friendly word	un mot amical
	full swing, to be in…	être en plein boum / battre son plein
	full to overflowing	plein(es) à ras bords
the	fund-raiser	le / la collecteur, -trice de fonds
as	gentle as a lamb	doux comme un agneau
	gentle persuasion, to use a little…	utiliser la manière douce
he	glanced at…	il jeta un coup d'œil sur…
	"Gone With the Wind"	"Autant en emporte le Vent"
	goose pimples	la chair de *poule*

	hang about (waiting)	faire le poireau
a	haughty reply	une réponse pleine de morgue
	have you come from far?	êtes-vous venu(es) de loin ?
	hawk-eyed	un regard d'*aigle*, des yeux de *lynx*
to	hedge one's bets	se couvrir (figurative)
he	held his breath	il retenait son souffle
a	hell of a cook, he's…	il cuisine comme pas deux
	high hopes of winning	bon espoir de gagner
to	hit the road	tailler la route
to	hold out on somebody	tenir la dragée haute cf. dragée (section 3)
to	hope against hope	espérer en dépit de tout
to	hope for the best	espérer que tout se passe au mieux
an	hour behind (us)	une heure de décalage
a	howling mob	une foule hurlante
to	hug the kerb	raser le (bord de) trottoir
the	humblest of apologies	les plus plates excuses
to	improve the shining hour (hum.)	tirer parti de l'occasion

	in its present form	dans sa forme actuelle
a	jack-knife dive	un saut de carpe
to	judge him for ever (afterwards)	le juger à *jamais*
to	jump ahead (in a story)	brûler les étapes
to	jump, to start	avoir un haut-le-corps
to	jump the gun	agir prématurément
to	jump the lights	brûler un feu rouge
I've	just got back	je viens de rentrer
	keep the change, my good man (hum.)	gardez la monnaie, garçon
	keep well	portez-vous bien
	kettle of fish, a different…	une autre paire de manches
the	killer instinct, fighting spirit	la combativité
a	know-all	M. ou Mlle je-sais-tout
a	larger-than-life character	un personnage plus vrai que nature
to	laugh one's head off	se fendre la pêche
the	last handful	la dernière poignée
to	lay the table	dresser le couvert

a	leap year	une année bissextile
	let's just say (that)…	mettons (que)…
	light green/ dark green	vert pâle, clair/vert foncé
a	little rascal, you're…	tu es un petit galopin
	loaded dice	les dés pipés
	loans and deposits	emplois (nmpl) et ressources (nfpl)
a	loose connection	un vague lien
to	lose one's touch	perdre la main
a	losing streak	une période de déveine
a	losing wicket, to be on…	ne pas être en veine
	lots of, masses of…	beaucoup de…
a	lull occurs in the conversation	un ange passe
a	luvvie!	un cabot, un(e) cabotin(e), un(e) théâtreux,-euse
to	make off/run off with something	faire main basse sur quelque chose
	make up your mind!	cessez donc de tergiverser !
a	meaningful act	un acte significatif
a	messenger boy	un garçon de courses

to	mount the platform	monter à la tribune
	mushroom picking	la cueillette des champignons
	nearly ten years old, I was…	j'allais sur mes dix ans
	never at a loss for words	toujours quelque chose à dire
no	news is good news	pas de nouvelles, bonnes nouvelles
I	nodded in agreement	j'acquiesçai d'un signe de tête
	nodding *and* shaking one's head	en hochant la tête
	not that much	pas tant que ça
	null and void, invalid	nul et non avenu
an	off day, to have…	n'être pas en forme
	one of these days	un de ses quatre
	on-the-job training	formation (nf) sur le tas
	on the quiet	à la sauvette
	OTT (over the top)	complètement démesuré(es)
he	overstepped the mark	il a dépassé les bornes
to	overtax oneself	abuser de ses forces
a	pale imitation of…	un succédané de…

	panic-stricken	frappé(es) de panique
a	(parking) ticket, a fine	une contredanse (fam.), une contravention
to	pass on, to die	s'éteindre, mourir
to	pay the full whack	payer plein pot
to	pay through the nose	payer le prix fort
a	pencil and a notebook	un crayon et un calepin
to	perish of hunger	crever de faim
	pettiness, small-mindedness	mesquinerie (nf)
to	pierce his/her heart	fendre le cœur
	plunged in thought	plongé(es) dans ses pensées
to	point (and jeer)	mettre à l'index (nm)
the	population explosion	l'explosion (nf) démographique
a	prejudice, a bias	un parti pris
a	prize idiot!	le roi (des imbéciles) !
to	pull a fast one on somebody	jouer un mauvais tour à quelqu'un
to	pull out all the stops	faire feu des quatre fers
to	pull one's socks up	se secouer
to	push one's luck	tirer sur la corde *or* la ficelle

to	put somebody off the scent	donner le change à quelqu'un
to	put the wind up somebody	flanquer la trouille à quelqu'un
to	put up a good performance	faire une bonne prestation
	quite a joker, he's…	c'est un petit plaisantin
a	rag (a newspaper)	un canard, une feuille de chou
a	red herring	une diversion, quelque chose pour brouiller les pistes
on	release (a film)	actuellement en salles
he	returned my smile	il m'a rendu mon sourire
to	roam around the garden	errer dans le jardin
	robbery with violence	vol avec coups et blessures
to	rock the boat	jouer les trouble-fête, semer le trouble
	rocket science, it's not…	ce n'est pas la mer à boire
the	rush hour	l'heure (nf) de pointe
	saddened by her/his death	touché(es) par sa disparition
a	safety net	un filet de protection

a	sand castle	un pâté de sable
	scattered clothing (!)	du linge *épars*
to	scupper one's studies	saborder ses études
	servant, I'm not your…	je ne suis pas ton groom, ton serviteur
it	serves him right	c'est bien fait pour lui
it	serves its purpose	cela fait l'affaire
a	shortcut	un chemin de traverse, un raccourci
to	skate on thin ice	s'aventurer sur un terrain glissant
	slender means	ressources très modestes
a	slog, it's a real…	c'est une vrai corvée
the	smash hit of last year	le tube de l'année dernière
	smitten for ever	enchanté(es) pour toujours
to	smooth things over	arrondir les angles
as	sober as a *judge*	sobre comme un *chameau*
his	so-called Excellency	sa soi-disant Excellence
a	somersault	un saut périlleux
	sorely tempted	fortement tenté(es)
to	sound high and mighty	avoir le verbe haut
to	spread the word	prêcher la bonne parole !
to	stand on the sidelines	faire tapisserie

to	stir up ill-feeling	semer la zizanie (!)
	stop the world, I want to get off (!)	arrêtez le monde, je veux descendre
a	straitjacket	une camisole de force
a	strange way to behave	un drôle de comportement
no	stranger to the grape	quelqu'un(e) qui aime l'alcool
a	(stuffed) teddy bear	un ours en peluche, un nounours
a	substitute family	une famille de remplacement
on	sufferance	par tolérance
it	suits me fine	ça me va tout à fait
	supporting the demonstrators	soutenant les manifestants
a	suspended sentence	une condamnation avec sursis
a	swallow dive	un saut d'ange
a	swan-like neck	un long cou de cygne
a	swinging hammock	un hamac qui se balance
	take a pew (un banc) (hum.)	prenez donc un siège
to	take French leave	filer à *l'anglaise* (!)

to	take over (a business)	prendre les rênes
to	take the plunge	faire le saut
to	tighten a few screws	(res)serrer les boulons cf. boulon (sect. 3)
the	tip of the iceberg	la partie visible de l'iceberg
	tomorrow is another day	meilleure chance demain !
	tongues wagging, that'll set…	ça fera jaser les gens / ça fera couler de la salive (!)
a	trial, a verdict	un procès, un jugement
to	turn fifty	entrer dans la cinquantaine
	until next time	à la prochaine fois
to	upgrade a passenger	surclasser un passager
an	uphill struggle	une tâche difficile / pénible
I'm	used to it	j'ai l'habitude (nf)
a	veiled reference cf. clin (section 2)	un clin d'œil
a	visitors' book	un livre d'or
the	wailing of a child	le vagissement d'un enfant
a	wasted effort	un effort inutile
a	waste of space, it's…	c'est nul
a	waste of time	du temps perdu
	wasting his time, he would be…	il en serait pour ses frais

to	wear a fringe	(être) coiffée à la chien (vieilli) / avoir une frange
a	weekend cottage	une maison de campagne
I	went on my way	j'ai poursuivi mon chemin
	what a waste!	quel gaspillage !
	what do you think of that?	qu'en pensez vous ?
a	will of steel	une conviction d'airain
a	winding road	une route accidentée, en lacets
	within arm's reach	à portée de la main
	without warning	sans crier gare
	wrong on two counts	faux pour deux raisons
a	wry comedy cf. mi-figue (section 2)	une comédie pleine d'ironie
	"Wuthering Heights"	"Les Hauts de Hurlevent"

TWO FINAL THOUGHTS

Cher lecteur, chère lectrice:

1) Never believe anything until it has been officially denied:
Ne croyez pas une rumeur tant
qu'elle n'a pas été officiellement démentie

2) If you can fake sincerity you can fake anything:
Si vous pouvez feindre la sincérité, vous
pouvez tout feindre !